Caperucita
Roja

Texto e ilustraciones de Elizabeth Orton Jones
Versión castellana de Sergio Pitol

A INFANTÓPOLIS

EDITORIAL TRILLAS

México, Argentina, España
Colombia, Puerto Rico, Venezuela

Había una vez, hace mucho tiempo, una niñita muy buena a quien todos querían mucho y más que nadie, su abuela.

Vestía siempre una capa con un gorro que su abuelita le había tejido. Por eso la gente dio en llamarla Caperucita Roja.

Una mañana su madre preparó una cesta y le dijo:

—Aquí dentro tienes un trozo de pastel, una barra de mantequilla y una botella de leche. Llévaselos a tu abuela, Caperucita Roja, porque está enferma y no puede levantarse de la cama. No te distraigas ni te pongas a jugar en el camino.

No hables con extraños, y cuando llegues a su casa no se te olvide darle los buenos días.

Caperucita Roja prometió obedecer las indicaciones. Tomó la canasta, se despidió de su mamá y se internó por el camino a través del bosque.

No había caminado mucho cuando se encontró con un lobo.

—Buenos días, Caperucita Roja —dijo el lobo cortésmente—. ¿Adónde vas con esa canasta?

—Voy a ver a mi abuelita —dijo Caperucita Roja—. Le llevo aquí un trozo de pastel, una barra de mantequilla y una botella de leche.

—Muy bien —añadió el lobo—. ¿Dónde vive tu abuela?

—Al otro lado del bosque —respondió Caperucita Roja, indicando la dirección con un dedo—.
Mi abuelita está enferma.

—Qué pena me da oir eso —dijo el lobo—. ¿Por
qué no cortas algunas flores para ella?

—Le prometí a mi madre no entretenerme en
el camino —contestó Caperucita.

–Entonces, lo mejor será que cumplas tu promesa –dijo el astuto lobo–. Pero mira estas lindas flores que crecen a la derecha del camino.

Caperucita Roja contempló las flores.

–Un bonito ramo de flores hará que tu abuelita se sienta mejor, ¿no lo crees así, Caperucita?

Y sin decir más, desapareció entre los árboles.

Caperucita Roja comenzó a vagar en el bosque, recogiendo flores aquí y allá.

Mientras tanto, el lobo había salido corriendo a la casa de la abuelita de Caperucita Roja y al llegar tocó la puerta.

–¿Quién es? –preguntó la abuelita desde adentro.

—Soy yo, Caperucita Roja, que tanto te quiere —dijo el lobo fingiendo la voz—. Te traigo un trozo de pastel, una barra de mantequilla y una botella de leche.

—Entra, preciosa —dijo la abuelita—. Nada más empuja la puerta.

El lobo empujó y la puerta se abrió.

Y sin decir una palabra más, dio un salto a la cama donde estaba la abuelita y se la tragó de un bocado.

Luego, se vistió con un camisón y el gorro de la anciana, se metió en la cama y se cubrió con las mantas hasta la nariz.

Pronto llegó Caperucita Roja con su cesta y su ramo de flores.

—Buenos días, abuelita —saludó.

Se acercó a la cama y contempló a la figura que estaba allí.

—¡Ay, abuelita —dijo casi espantada—, pero qué orejas tan grandes tienes hoy!

—¡Para oírte mejor, niña mía —dijo el lobo, entornando los ojos.

—¡Ay, abuelita, pero qué ojos tan grandes tienes! —dijo la niña.

—¡Para verte mejor, preciosa! —dijo el lobo, mostrando los colmillos.

—¡Ay, abuelita, pero qué dientes...! —dijo Caperucita ya con miedo.

—¡Para comerte mejor! —la interrumpió el lobo, y de un salto cayó sobre la niña y la devoró.

Un cazador pasaba en esos momentos por la casa para ver cómo seguía la abuela de Caperucita Roja. Y cuando vio al lobo dijo:

—¡Ajá! ¡Al fin te encuentro, bribón! —tomó su hacha y de un golpe lo dejo muerto. Después le abrió la barriga y de allí salieron, aún vivas, Caperucita Roja y su abuelita.

Ambas dieron las gracias al cazador por haberlas salvado, y luego los tres se sentaron a la mesa a comer el pastel y la mantequilla y a beber la leche que había traído Caperucita Roja.